日本共産党創立99周年記念講演会

パンデミックと日本共産党の真価

志位和夫委員長の講演

目次

日本共産党創立99周年記念講演会

パンデミックと日本共産党の真価

志位和夫委員長の講演

2021年8月4日

パンデミックは、政党の危機に対する姿勢と能力を問うものとなった

みなさん、こんばんは。ご紹介いただきました日本共産党の志位和夫でございます。今日は、私たちのオンライン記念講演会にご参加いただき、まことにありがとうございます。

いま当選した方々をご紹介しましたが、7月4日に行われた東京都議会議員選挙で、日本共産党は現有18議席を確保し、19議席に前進するという大きな勝利をおさめることができました。わが党を、ご支持、ご支援いただいたすべてのみなさんに、心からの感謝を申し上げます。本当にありがとうございました。（拍手）

そして、目前に迫った総選挙で勝利をかちとるために、さらなるお力添えを心からお願いするものであります。

みなさん。私たちは、党創立99周年を、新型コロナウイルス感染症のパンデミック――世界的大流行が、なお猛威をふるっているもとで迎えました。

1年半におよぶパンデミックは、日本

社会が抱える矛盾を根本から明るみに出すとともに、それぞれの政党の危機に対する基本姿勢、対応能力を問うものともなっています。

日本共産党は、多くの人々と力をあわせて、国民の命と暮らしを守るためにあらゆる知恵と力をつくしてきましたが、私は、パンデミックのもとで、99年の歴史、確かな綱領、草の根の組織に支えられた日本共産党ならではの真価が浮き彫りになっていると思います。

そこで、今日は、「パンデミックと日本共産党の真価」と題して、五つの角度からお話ししたいと思います。どうか最後までよろしくお願いいたします。（拍手）

第一。科学的姿勢に立ち、国民の苦難軽減に献身する党

第一は、日本共産党が、科学的姿勢に立ち、国民の苦難軽減のために献身する党だということであります。

安倍・菅政権のコロナ対応の〝三つの致命的欠陥〟と東京五輪の強行

いま、新型コロナウイルス感染症は、東京を中心に全国に急拡大し、感染の爆発的拡大の危険が生まれています。各地で医療が逼迫《ひっぱく》し、医療崩壊が始まっています。

現在の状況は、菅政権による失政がもたらした深刻な人災であり、その責任はきわめて重いといわなければなりません。

安倍・菅政権による1年半のコロナ対応には、〝三つの致命的欠陥〟があります。

第一は、科学を無視する政治姿勢です。それは、「医療崩壊を招く」などのウソをばらまいてのPCR検査の抑制、日本中にウイルスを広げてしまった「Go To事業」などに象徴的な形であらわれました。科学を無視し、無視したことへの反省もない。これでは対策が失敗することは避けられないではありませんか。

第二は、国民に説明せず、聞く耳も持たず、もっぱら強権に頼ることです。菅政権のもとで、緊急事態宣言やまん延防止等重点措置など、首相が国会に報告すべき機会が、今年1月以降、19回ありました。ところが、このうち菅首相が国会に出席したのは、たった2回のみでした。国民への説明を行う意思も能力もない。だから飲食店への不法な脅しなど、

もっぱら強権に頼る。この首相は、危機への対応にさいして何よりも重要な国民とのコミュニケーション能力が、絶望的なまでに欠如しています。

第三は、コロナ対策にまで「自己責任」論をもちこんだことです。菅政権は、緊急事態宣言を4回も発令しながら、中小業者の「命綱」だった持続化給付金と家賃支援給付金をたった一回で打ち切りました。医療機関への減収補塡《ほてん》を拒否し続けています。個々人の努力ではどうにもならない感染症対策にまで「自己責任」論をもちこんだ罪はきわめて重いのではないでしょうか。

党創立99周年記念講演会。記念講演をする志位和夫委員長＝２０２１年８月４日、党本部

これらの〝三つの致命的欠陥〟の最悪のあらわれが、7月23日からの東京五輪の強行であります。一方で五輪開催に固執しながら、他方で「自粛」を呼びかけても、国民に説得力をもちません。東京五輪の強行は、国民に誤ったメッセージを送ることになり、感染拡大を招く重大な要因となりました。世界最大のスポーツイベントの開催を、パンデミックのさなかに、しかも開催都市の東京で緊急事態宣言が出され、感染が急増しているさなかに強行するというのは、科学を無視し、命をないがしろにした歴史的愚行ではないでしょうか。（拍手）

パンデミックへの対応という国民の命と暮らしにかかわる大問題への対応をとっても、菅政権に国政を担う資格がないことは、すでにあまりにも明らかであります。

みなさん。市民と野党の共闘の力で、菅政権を倒し、政権交代を実現し、国民の命と暮らしに責任を負う新しい政権をつくろうではありませんか。（拍手）

日本共産党の奮闘と、パンデミックのもとでの前向きの希望ある変化

命と暮らしを守る積極的提言、五輪パラ中止の提起の先駆的意義

日本共産党は、戦後最悪のパンデミックにさいして、科学的姿勢に立ち、国民の苦難を軽減し、命と安全を守るという立党の精神を貫いて対応してきました。

わが党は、情勢の節々で、コロナから命と暮らしを守る積極的提言を行い、実

現のために力をつくしてきました。ワクチンの迅速接種と大規模検査をセットで実行して感染を封じ込めること、自粛要請に対して十分な補償を行うこと、医療機関に対する減収補填と支援強化を行うこと――これらが、わが党が一貫して求め続けてきた収束への方策であります。その実現のために引き続き全力をつくすことを、お約束するものであります。

とくに、日本共産党が、今年1月以降、「今夏の五輪開催を中止し、コロナ収束に力を集中すべき」と提起してきたことは、先ほど立川《たてかわ》談四楼《だんしろう》さんからも評価がありましたが、先駆的意義をもつものだったと確信しています。日本と世界の人々の命を何よりも最優先するわが党の政治姿勢は、東京都議選でも広範な都民の共感を広げました。

みなさん。感染爆発と医療崩壊の危機のもと、いよいよもって五輪をやっている場合ではありません。「オリンピック・パラリンピックをやめて命を守れ」――この一点で、思想・信条の違いを超え、力を合わせることを、心から呼びかけるものであります。（拍手）

国民の運動と共同し、さまざまな分野で前向きの希望ある変化が

みなさん。ここでみなさんとともに確認しておきたいのは、日本共産党が、この1年半、国民の運動と共同し、他の野党とも協力して、さまざまな分野で前向きの希望ある変化をつくりだしてきたということであります。

――（**暮らしと権利**）その一つは、コロナ危機のもとで、暮らしと権利を守るたたかいが、さまざまな成果の実を結びつつあるということです。

持続化給付金、家賃支援給付金、特別定額給付金、学生支援給付金、雇用調整助成金のコロナ特例、休業支援金など、命と暮らしを守る数々の直接支援の施策を実行させてきました。

このなかで、自民党が２０１２年ごろから執拗《しつよう》に繰り返してきた生活保護の利用者に対するバッシング、保護費の大幅削減や「水際作戦」の強化につながる生活保護改悪の逆流をおしかえし、日本国憲法に明記された当然の権利として活用してほしいと政府に表明させたことは特筆すべき出来事であります。

わが党議員の質問に対して、安倍首相（当時）は、「文化的な生活を送る権利があるので、（生活保護を）ためらわず申請してほしい」と答弁しました。田村厚生労働大臣は、保護申請の大きな障害になっている扶養照会について、「義務ではない」と答弁しました。コロナ危機のもとで保護を必要とする人が急増し、制度の活用と改善を求める国民の運動が急速に高まるもとで、卑劣なバッシングと改悪をおしかえす流れをつくってきたことに、自信をもって進もうではありませんか。（拍手）

――（**ジェンダー平等**）二つ目に強調したいのは、コロナ危機によって、女性

がこれまで受け入れさせられてきたさまざまな苦悩が明らかになるもとで、ジェンダー平等を求める巨大な社会的変化が起こっているということです。

　女性労働者の56％が非正規雇用のもとにおかれ、飲食業、観光業などで真っ先

党創立99周年記念講演会。記念講演をする志位和夫委員長＝2021年8月4日、党本部

に切り捨てられ、生活の糧《かて》を失っています。ステイホームが強いられるもとで家庭的責任を重く担わされ、DV被害が増加しています。

　こうしたもとで、ジェンダー差別の問題が、日本社会の抱える構造的問題として認識され、鋭く問い直す大きなムーブメントが起こっています。五輪組織委員会の森喜朗前会長の差別発言に、瞬く間に抗議の声が沸き起こり辞任に追い込んだのは、このムーブメントが、現実に社会を変える力を持つことを示すものでした。

　20代の女性たちの問いかけから始まった「生理の貧困」――学校などに生理用品を置こうという運動は、女性に対する経済的支援にとどまらず、これまで公に語ること自体がタブー視されてきた「女性の『性』にかかわる健康と権利の尊重」を求めるムーブメントとして大きな意義をもつと考えます。

　私は、こうした巨大な社会的変化が起こるもとで、私たちが改定綱領に「ジェンダー平等社会」を明記したことがいかに大切だったかをあらためて痛感しています。

　みなさん。「学び、自己改革し、ともに進む」という姿勢を堅持して、ジェンダー平等の日本をつくるために力をつくそうではありませんか。（拍手）

　――（**少人数学級**）三つ目は、コロナ危機のもとで、少人数学級を求める国民的運動が広がり、40年ぶりに小学校全体の学級規模を引き下げるという成果をかちとったことです。

　この変化の根底には、一人ひとりの子どもの尊厳、多様性の尊重を求める国民の切実な願いの高まりがあります。「子どもたちに少人数学級をプレゼントしよう」というわが党の呼びかけに対して、ある母親から、「子どもたちの学びの多様性に応えられる教育を可能にするために、少人数学級は重要な一歩だと思う。それぞれの子を『子ども』という塊《かたまり》・集合体として教育するんじゃなく、A君、Bさん、Cちゃんそれぞれの成長を支える教育であってほしい」という共感の声が寄せられました。これは、今日の

日本の教育に対する国民の痛切な願いをあらわしていると思います。

コロナ危機は、全国一斉休校などの誤った政策ともあいまって、子どもたちの成長に不可欠な、友だちとの遊び、交流を突然奪い、強いストレスを与えました。こうした子どもの状況を前にして、保護者、教職員をはじめ、多くの人々が、子ども一人ひとりを丁寧に支える教育を痛切に望み、さまざまな形で声をあげたことが、40年ぶりの学級規模引き下げにつながったのであります。ここには、個人の尊厳を求めるという点で、ジェンダー平等ともつながる、日本社会の深い変化があらわれているのではないでしょうか。

みなさん。少人数学級を中学校と高校にも広げ、一日も早く30人学級を実現するために、引き続き力をあわせようではありませんか。（拍手）

――**（学生支援）**四つ目は、学生支援の運動の広がりです。異常に高い学費、貧しい奨学金のもと、コロナ危機による休業が「シフト制」などで働く学生アルバイトを直撃し、多くの学生が食事に事欠くような困窮状態に突き落とされました。

そうしたなか、民青同盟などが主催する学生むけの食料支援は、昨年来、47都道府県でとりくまれ、のべ約9万人の学生が利用し、学生の暮らしの支えになるとともに、温かい連帯の輪を広げています。食料支援の活動のなかで、1000人を超える学生がボランティアやスタッフとして登録し、ともに活動しています。

何より重要なことは、こうした活動をつうじて、多くの若者が、新自由主義的な「自己責任」論の呪縛《じゅばく》をのりこえつつあることです。最初は支援を受けることを躊躇《ちゅうちょ》していた学生が、支援を受けるなかで連帯の大切さを実感し、さらに進んでボランティアとして支援する側にまわる――こうした変化が全国で起こっています。社会と政治のあり方に目をむけ、社会的連帯によって政治を変える模索と探求を強めています。学生のなかで「一律学費半額」を求める運動が広がっています。みなさん。若い世代の苦しみ、模索と探求に心を寄せ、学費半減、返済不要の奨学金の抜本的充実のために、力をつくそうではありませんか。（拍手）

4点ほどお話ししましたが、多くの人々が、パンデミックの体験を通じて、これまで「遠くにある」と思っていた政治が、命と暮らしにとってすぐそこにある「身近」なものだと感じ、声をあげ立ち上がり、さまざまな分野で、前向きの変化の大きなうねりが起こっています。「声をあげれば政治は変わる」。この確信が一人ひとりの体験をつうじて広がりつつあります。これは、日本社会にとっての大きな希望ではないでしょうか。

全国の草の根で、国民の「SOS」に耳を傾け、ともに解決するとりくみ

パンデミックのもとでの、日本共産党自身のとりくみについて述べておきたい

と思います。わが党は、草の根で、国民の「ＳＯＳ」に耳を傾け、苦難に心を寄せ、ともに解決するとりくみを、全国津々浦々で行ってきました。

東京・中野区の浦野さとみ区議会議員は、この1年半で８０３件の生活相談――通常の5倍の生活相談にとりくんでいます。うち５００件は、国と都の給付金に関する相談で、党国会議員団、都議団と連携して、多くを解決してきたとのことです。ツイッターでのやりとりをきっかけにした相談も多いと聞きました。浦野議員は次のような報告を寄せてくれました。

「何よりもうれしいのは、これまで政治を信用していなかったり、関心がなかった相談者の方たちが、相談活動を通じて、『信頼できる政治家はいる』、『政治を見る目が変わりました』と変化していることです。私は、10年間地方議員として活動してきましたが、この1年半ほど、『今がんばらなかったら、どうするんだ』と思ったことはありません。ツイッターでの相談は東京以外からも寄せられますが、全国津々浦々の地方党組織、党議員が快く対応してくれ、すぐに現地につなげられることもありがたく、日本共産党の地方議員として誇りに思っています」

こうした奮闘が、全国の1万8千の党支部、２６００人の地方議員を先頭に、草の根で日々行われていることは、わが党の最大の誇りとすることであります。

みなさん。その時々の国民の苦難を軽減し、命と安全を守ることは、日本共産党の立党の精神であり、99年の歴史で一貫して貫いてきた政治姿勢です。

いま私たちが、パンデミックという戦後最悪の困難に遭遇しながらとりくんでいる命と暮らしを守るたたかいは、かつての侵略戦争に対して、どんな困難があっても命がけで反対を貫いた先輩たちの不屈のたたかいを、現代に引き継ぎ、生かしたものであることを、私は、党創立99周年にあたって訴えたいと思うのであります。（拍手）

第二。日本の政治の歪みの根本にメスを入れる変革の党

第二は、日本共産党が、日本の政治の歪《ゆが》みの根本にメスを入れる変革の党であるということであります。

この1年半、パンデミックのもとで古い自民党政治の矛盾が噴きだし、その歪みの根本をただす改革が、いよいよ切実になっています。

新自由主義はもう終わりにしよう――「ルールある経済社会」が抜本的対案

新自由主義の破綻は、もはや誰の目からみても明らかになった

一つは、「ルールなき資本主義」といわれる財界中心の政治の歪みであります。

この歪みを極限にまでひどくしたのがこの40年来の新自由主義――規制緩和万能、弱肉強食、自己責任押し付けの政治でしたが、パンデミックはその破綻を誰の目にも明らかにしました。

――**（医療崩壊）**医療崩壊が現実のものとなりました。4月から5月の大阪では、多くの重症患者が重症病棟に入院できず命を落としました。感染者の8割以上が「自宅待機」を強いられ、自宅で亡くなる方が相次ぎました。介護施設で「待機」させられた高齢者が次々に亡くなりました。「助かる命が病院のベッドの上にさえあがれず、こぼれ落ちていった」。医療現場からの痛恨の告発であります。こうした医療崩壊が、いま東京や全国で再現される危険が迫っており、その打開は急務であります。こうした事態をもたらした責任は、政治の誤ったコロナ対応にありますが、根底には、長年にわたる医療・公衆衛生切り捨ての新自由主義の政治があることを、私は、強い憤りをもって告発したいと思うのであります。（拍手）

――**（雇用破壊）**雇用破壊が深刻です。新型コロナ危機は、非正規労働者、とくに女性と若者に大きな犠牲を負わせています。この1年余の時期に、コロナ以前に比べて月平均92万人もの非正規労働者が減少し、そのうち61万人は女性です。くわえて、月平均１００万人もの労働者が、休業や営業時間短縮の影響をうけ、少なくない非正規労働者、とくに「シフト制労働者」は休業支援が受けられず、困窮状態に突き落とされています。この根底にも、「使い捨て労働」への置き換えを進めた、１９９０年代以来の新自由主義の政治があることを、厳しく指摘しなければなりません。

――**（税の不公正）**税金の不公正がはなはだしく拡大しました。コロナ危機のもと、２０２０年度の国の税収が過去最高になったことが報じられました。麻生財務大臣は、「そんな世の中、経済悪くなっていなかったということ」と言い放ちましたが、冗談ではありません。税収増の最大の要因は、消費税の10%への増税によるもので、消費税収は、法人税、所得税を抜いて、初めて税収のトップになりました。コロナで経営難の飲食店経営者、職を失った人も、食べないわけにいきませんし、日用品を買わないわけにいきません。新自由主義の「税制改革」

は、コロナのもとでも莫大《ばくだい》な利益を得ている富裕層を優遇し、困窮している人々にもっとも残酷な税金を、ついに国の税収の中心にすえてしまったのであります。

みなさん。新自由主義の破綻は、あらゆる面で、もはや誰の目からみても明らかではないでしょうか。（拍手）

財界言いなりに、ボロボロになった道を暴走する菅政権に、国民の厳しい審判を

注目すべきは、財界でさえ、その事実そのものは無視することができなくなっていることです。

日本経団連が昨年11月に発表した「。新成長戦略」では、「新自由主義」について、「環境問題の深刻化や、格差問題の顕在化等の影の部分をもたらしたことを忘れてはならない」と指摘し、「『新自由主義』の流れをくむ、わが国を含む主要国での資本主義は、行き詰まりを見せている」とのべています。

にもかかわらず「。新成長戦略」に列挙された処方箋は、あいかわらず新自由主義のオンパレードです。自ら「行き詰まり」と認めながら、新自由主義に代わる道を何ら示すことができない。ここには、財界中心の政治が深刻な行き詰まりに陥っていることが、絵に描いたようにあらわれているではありませんか。

菅政権は、この深刻な政策破綻から何も学ばず、行き詰まった財界言いなりに、ボロボロになった道を暴走し続けています。今年の通常国会で、75歳以上の高齢者の医療費を2倍にする法律、消費税の増税分を原資にして病床削減を推進する法律を強行したことは、その最悪のあらわれでした。みなさん。総選挙で、血も涙もない医療破壊法を強行した自民・公明・維新にきびしい審判を下し、その実施を止めようではありませんか。（拍手）

菅政権が6月に閣議決定した２０２１年の「骨太の方針」はひどい内容です。医療・介護のいっそうの負担増、病床削減を進める「地域医療構想」の推進、「ジョブ型雇用」の名で「成果強要」「解雇自由」に道を開く働かせ方を拡大するなど、歯止めない新自由主義のメニューがならんでいます。「（感染症は）これまで進められなかった課題を一気に進めるチャンス」とあからさまに明記しています。コロナという大惨事に乗じて財界の年来の野望を一気に進める。このような「惨事便乗型」の政治を、断じて許してはなりません。（拍手）

財界との腐れ縁が一切ない日本共産党をのばすことこそ、暮らしを良くする力

みなさん。新自由主義はもう終わりにしようではありませんか。

医療・介護・障害福祉・保育などケアに手厚い社会をつくりましょう。

最低賃金を時給１５００円に引き上げ、人間らしい雇用のルールをつくっていきましょう。

文化・芸術を人間が生きていくうえで必要不可欠な糧として守り育てる国にしていきましょう。

そして、コロナのもと空前の富を蓄えている富裕層と大企業に応分の負担を求め、消費税は５％に減税しようではありませんか。（拍手）

国民の生活と権利を守る「ルールある経済社会」をつくる。そのために、大企業に対してその社会的責任を果たさせる民主的規制を行う。これが破綻した新自由主義に対する、日本共産党の抜本的対案であります。

党創立以来99年、企業・団体献金を一切受け取らず、財界との腐れ縁が一切ない日本共産党をのばすことこそ、暮らしを良くする一番確かな力となることを、私は、心から訴えたいと思うのであります。（拍手）

新自由主義からの転換の動き――アメリカから伝えられた二つの発言

みなさん。ここで世界に目を転じますと、パンデミックで明らかになった新自由主義の破綻を直視して、転換をはかろうというさまざまな動きがおこりつつあります。

世界最大の資本主義大国・アメリカから伝えられた二つの発言を紹介したいと思います。

一つは、バイデン米大統領が4月に米議会で行った施政方針演説であります。その一節を紹介したいと思います。

「最低賃金15ドルを実現しましょう。週に40時間働いても、貧困ライン以下の生活を送る人はいないようにしましょう」、「今こそ、米財界や1％の富裕層に公平な負担を求めるべきです」、「パンデミックで２千万人のアメリカ人が職を失いました。同時に、約６５０人のビリオネアの純資産が1兆ドル以上増加しました。アメリカの皆さん、トリクルダウン経済は決して機能しなかったのです」

日本共産党の主張と驚くほど似ているではありませんか。

バイデン大統領は、トランプ政権が21％まで下げた法人税を28％まで戻すと言っています。日本共産党は、安倍政権が23％まで下げた法人税を大企業については28％まで戻すと主張してきましたが、偶然にも一致しました。もちろん、最初にこの主張を行ったのは日本共産党であります。

もう一つは、米国を中心とする１１２人の大富豪が昨年7月に発表した共同書簡です。その一節を紹介したいと思います。

「私たちは集中治療室で患者の対応にあたっているわけではありません。救急車を運転し患者を病院に搬送するわけではありません。食料品店の棚に商品を補充したり、顧客の玄関先まで食料を届けるわけでもありません。だが私たちには金があります、しかもたくさん。……私たちは、この非常事態において、最前線でたたかっているわけではないし、犠牲者となる可能性もずっと低い。だからお願いです。私たちに課税を。私たちに課税を。それが正しい、唯一の選択肢です。人間は、私たちのお金よりも、もっと大切なのです」

いいこと言うじゃありませんか。

みなさん。これらの世界の動きは、日本共産党がめざす経済の民主的改革の方向にこそ未来があることを、はっきりと示しているのではないでしょうか。（拍手）

「異常なアメリカ言いなり」をただす――「二重のとりくみ」をすすめる党

米軍機による低空飛行の被害が激増――日本の空の主権をとりもどそう

もう一つの問題に進みたいと思います。「異常なアメリカ言いなり」という政治の歪みです。パンデミックに国民が苦しめられているもとで、在日米軍の異常な横暴がエスカレートしています。

全国各地で米軍機による低空飛行訓練の被害が激増しています。

「しんぶん赤旗」や毎日新聞の調査で、東京都心に米軍ヘリの飛行ルートが設定され、最低安全高度３００メートル以下の異常な低空飛行が常態化していることが明らかになりました。その実態は、日本平和委員会の調査によれば、「新宿駅周辺のビルの下を飛行し、高層マンションの間をすり抜け、六本木ヒルズと東京タワーの間を高度２００メートル以下で連続的に通過し、高度３５０メートルのスカイツリーの展望デッキに接近し、８の字を描くように急旋回する」というもので、一歩間違えば大惨事になりかねない危険きわまりないものです。首都のど真ん中で、傍若無人な米軍機の低空飛行が行われているのは、世界のなかでも日本だけであります。それに抗議一つしない。こんな体たらくで独立国の政府と言えるのか。このことが問われています。

沖縄・普天間基地と東京・横田基地に配備されたオスプレイの被害も激増しています。青森県・小川原《おがわら》湖で、横田に配備された米空軍オスプレイが、湖の一部を長時間にわたって不法に「占有」し、湖面すれすれで救難訓練を繰り返していることが、大問題になっています。日米地位協定にさえ反する無法行為そのものであります。

米軍機の低空訓練はただちにやめよ。オスプレイは、沖縄の空にも、日本のどこの空にもいらない。みなさん。思想・信条の違いをこえて力をあわせ、日本の

空の主権をとりもどそうではありませんか。（拍手）

辺野古新基地はつくれない――「オール沖縄」への連帯を訴える

菅政権は、沖縄県・辺野古《へのこ》新基地の建設を、コロナ危機に乗じて火事場泥棒のように進めています。しかし、この企てはいま完全な行き詰まりに直面しています。

大浦湾の軟弱地盤の改良工事を進めるためには、玉城デニー知事の承認が必要ですが、知事の承認は絶対に得られません。新基地は、政府の試算でも完成までに12年を要し、総工費も約1兆円に拡大することが明らかになっています。しかも、これ自体が机上の試算にすぎず、県は2兆５５００億円の費用がかかるとしています。コロナ危機で多くの国民が苦しみのなかにあるときに、沖縄県民の総意を踏みつけにした新基地建設のために、数兆円規模の血税を投入するなど、こんなに間違った政治はないではありませんか。

菅政権が、戦没者の遺骨が眠る沖縄本島南部から埋め立て土砂を調達しようとしていることに、県民の怒りが広がっています。戦没者の遺骨が埋もれたままの土砂で、こともあろうに新基地をつくる。人間の尊厳をふみつけにした非道な暴挙を決して許してはなりません。（拍手）

辺野古新基地はつくれません。つくらせてはなりません。世界一危険な普天間基地は無条件に撤去するべきであります。私は、この場で、「オール沖縄」のたたかいへの全国のみなさんの連帯を心から訴えるものであります。（拍手）

「アメリカ言いなり」をどうやってただすか――「二重のとりくみ」に力つくす

それでは、「異常なアメリカ言いなり」をどうやってただすか。これは日本の改革の根本問題ですが、日本共産党は、つぎの「二重のとりくみ」に力をつくします。

一つは、日米安保条約に対する賛成、反対の違いを超えて、緊急の課題で広く協力していくことであります。

すでに野党間には、憲法違反の安保法制を廃止する、辺野古新基地建設は中止するなどの一致点があります。日米地位協定の抜本見直しは、沖縄県が提唱し、全国知事会が全会一致で求めていることです。対米関係という日本の進路をめぐる根本問題で、これだけの共同が広がるというのは、日本の歴史のなかでもかつてない画期的なことであります。

こうした緊急の課題での共同に対しては、日本共産党は、安保条約廃棄という党の独自の立場を持ち込まず、一致点で共同を発展させるという立場を、揺るがずに貫きます。

いま一つは、日米安保条約を廃棄し

て、本当の独立国といえる日本をつくる、アメリカとの関係は対等・平等の日米友好条約を結ぶ――私たちの綱領の日本改革の根本目標が、国民多数の合意となるように、党としての独自の努力をつくすことであります。

そもそも在日米軍が、「日本防衛」の任務をもっていないことは、米国政府の高官も繰り返し言明していることです。海兵隊にしても空母打撃群にしても、海外への侵略と干渉を専門とする「殴り込み」部隊です。そうした在日米軍と自衛隊が、共同して海外の戦争に介入する。ここにこそ日本の平和に対する最大の現実の脅威があるのであります。日米安保条約をなくして基地のない平和な日本をつくることにこそ、この国の本当の未来がある。みなさん。このことを大いに訴えていこうではありませんか。（拍手）

ここで私が、強調したいのは、こうした日米安保条約廃棄の流れを強めることは、緊急の課題での共同を前に進めるうえでも、一番の力になるということです。

さきほどのべた緊急の課題のどれをとっても、それを本気で実行しようとすれば、日米安保条約の現状を絶対だという勢力、この現状には指一本触れさせないという勢力からの激しい妨害や抵抗に出合うでしょう。たとえば辺野古新基地一つとっても、それを中止しようとすれば、「そんなことをすれば日米安保体制が弱まる」という攻撃が起こるでしょう。現に民主党政権の時に、そういう激しい抵抗が起こりました。そういう時に、「日米安保条約は、日本の平和にとって有害無益であって、日米安保条約を廃棄した独立・中立の日本にこそ未来がある」と堂々と主張する流れを強くすることこそ、緊急の課題での共同を前に進めるうえでも一番の力となるのではないでしょうか。

みなさん。緊急の課題での共同を進めながら、日米安保条約廃棄の多数派をつくる――「二重のとりくみ」を行うことができる政党は、日本共産党しかありません。戦後一貫して「異常なアメリカ言いなり」の政治と正面からたたかってきた日本共産党をのばすことこそ、日本の平和の最大の保障となる。このことを大いに訴えていこうではありませんか。（拍手）

第三。世界の本流に働きかけ、逆流とたたかう党

第三は、日本共産党が、世界の本流に働きかけ、逆流とたたかう党であるということであります。

ここで、再び世界に目を向けたいと思います。

本流の力強い前進――核兵器禁止条約の発効、植民地主義の過去を問う世界の流れ

日本共産党が、昨年の党大会で決定した改定綱領は、20世紀に起こった植民地体制の崩壊という世界の構造変化が、21世紀の今日、平和と社会進歩を促進する生きた力を発揮しはじめているという世界論を明らかにしました。

この1年半のパンデミックのもとでも、世界史の本流の力強い前進が起こっています。二つの出来事に注目したいと思います。

核兵器禁止条約の発効――「ある種の革命」が起こった

一つは、核兵器禁止条約が今年1月に発効し、人類の歴史で初めて核兵器を違法とする国際法が確立したことであります。

私は、２０１９年11月に行われた第8回中央委員会総会での綱領一部改定案についての提案報告で、核兵器禁止条約は、国際政治の「主役交代」を象徴的に示す歴史的出来事だと強調しました。すなわち戦後、核兵器問題の交渉の主役の座は、長い間、米ソを中心とする核保有大国が独占していました。それが今日では、世界の多数の国ぐにと市民社会へと「主役交代」が起こった。これが改定綱領が捉えた核兵器禁止条約の歴史的意義でした。

この間、私たちと全く同じ見方が、核兵器禁止条約の実現の先頭に立ってきた著名な外交官からのべられました。オーストリアのトーマス・ハイノッチ国連大使は、今年4月に行った講演で、核兵器禁止条約は、「核武装国から、核軍縮の独占権を奪うものとなった」という点で、「ある種の革命」だったと強調しました。ハイノッチ大使は、「市民社会と、決意をもってとりくんだ国ぐにの協力こそが、この画期的な条約を実現したのです」と語りました。

私は、２０１７年にニューヨークで行われた核兵器禁止条約の国連会議で、ハイノッチ大使と、3月、7月と、2度にわたってお会いし、突っ込んで懇談する機会がありました。核兵器禁止条約の意義、核抑止力論の批判、市民社会の役割など、核問題に関するあらゆる論点で意気投合しました。あの笑顔を絶やさない温厚さをたたえながら、熱い情熱をもって会議の成功に全力投球していたハイノッチ大使の姿が忘れられません。核兵器問題で、国際政治における「主役交代」が起こったという、改定綱領とまったく同じ見方が、国際政治の舞台で核兵器禁止条約の実現の先頭に立ってきた当事者から語られていることは、たいへんうれしく、また心強いことではないでしょうか。

こうしたもとで、唯一の戦争被爆国の政府の立場が問われています。世界で、「ある種の革命」ともいえる、国際政治の「主役交代」が起こっているもとで、米国だけが「主役」だといつまでも思い込んでいる。そういう古い色眼鏡でしか世界を見ることができない。核兵器禁止条約にいつまでも背を向け続ける。こんな政権でいいのか。

ここでも政権交代が必要ではないでしょうか（拍手）。みなさん。核兵器禁止条約に署名・批准する新しい政権を、みんなの力でこの日本につくろうではありませんか。（拍手）

植民地支配の過去を問う世界的流れの発展――日本政府の態度が問われている

いま一つは、植民地主義の過去を問う世界的な流れの発展であります。

私は、昨年の党創立98周年記念講演で、米国で起こった警官によるジョージ・フロイド氏の暴行死事件への抗議行動が広がるなかで、世界各地で過去の植民地主義、奴隷制度に対する歴史的見直しを迫る流れが起こっていることをのべました。

この1年間、パンデミックのもと、この世界史的流れは、さらに発展しています。

ドイツ政府は、今年5月28日、20世紀の初頭に、ドイツの植民地だったナミビアで犯した大虐殺について、公式に「民族大量虐殺（ジェノサイド）」と認めて謝罪し、11億ユーロを拠出すると表明しました。ドイツのマース外相は、「ドイツの植民地支配の犯罪行為が長い間ナミビアとの関係の重荷となってきました。過去に終止符を打つことはできません。しかし、罪を認め、そして許しを請うことは、共に未来を切り開いていくための重要な一歩です」と語りました。1世紀前の犯罪を謝罪したのであります。

メキシコのロペスオブラドール大統領は、5月3日、19世紀に、マヤ族を中心とする先住民に対し、その「絶滅」を目的にした残虐行為を行ったことを謝罪しました。大統領は、「植民地支配の3世紀と、独立したメキシコの2世紀の間に、スペインとメキシコの個人や政府が犯した残虐な虐待について、マヤの人々に心から謝罪します」と語りました。

オランダ・アムステルダムのハルセマ市長は、7月1日、過去にアムステルダム市が行ってきた奴隷貿易に対する謝罪を発表しました。市長は、「１５００年から１８８０年の間に、少なくとも１２５０万人が大西洋奴隷貿易の犠牲になっています。アフリカから連れさられ、名前、歴史、アイデンティティーを奪われました。屈辱を与えられ、殴打され、殺されました」とのべ、17世紀の世界で最も裕福だったオランダが奴隷の貿易と搾取で富を築いたと言っても過言ではないとして、自らの歴史的行為を謝罪しました。

こうした流れがずっと広がっています。

こうしたなか、7月12日、国連人権理事会で、バチェレ人権高等弁務官は、次のように表明しました。

「今日の構造的な人種差別や人種的暴力の背景には、奴隷制、奴隷化されたアフリカ人の大西洋貿易、植民地主義に従事したり、それによって利益を得ていた国やその他の諸国、そしてこの遺産から利益を得続けている人々の責任が公式に認められていないことがあります。……真実を明らかにし、幅広い賠償手段を用いて被害に対処することが重要です。過去に対処するための措置は、私たちの未来を変えるでしょう」

みなさん。これがいま世界でとうとうと広がっている流れであります。植民地支配と奴隷制度は、いかなる時代のものであっても許されない、過去にさかのぼって歴史的な不正義を正すことが必要だ――こうした流れが、いま世界で澎湃《ほうはい》と広がっているのであります。

そのときに、日本政府のとっている立場はどうでしょうか。一国の首相が植民地支配を美化する発言を公然と行い、植民地支配と一体に進められた戦時性暴力＝日本軍「慰安婦」問題では、事実そのものを捏造《ねつぞう》だという議論を、政府が公然とふりまいています。これはあまりにも恥ずべきことではないでしょうか。

歴史的な不正義と向き合い、それを認めてこそ、未来にむかって本当の信頼と友好がつくれる。これが私たちの確信であります。日本共産党は、戦前・戦後の99年、命がけで侵略戦争と植民地支配に反対を貫いた党として、そのために力をつくす決意を表明したいと思います。

（拍手）

米中の覇権争い――国際社会はどう対応するべきか

ここで逆流に目を向けたいと思います。

いま、米国と中国による覇権争いが激化し、さまざまな分野で対立が強まっています。米中関係が、武力衝突や戦争という最悪の事態に陥らないようにすることは、世界にとっての最重要課題の一つとなっています。それは当事者である米中両国だけにまかせるわけにいかない、世界中の国ぐにや人々がとりくむべき課題となっています。

もっとも抑制すべき道――軍事対軍事の対立と、軍拡競争の悪循環

この問題で、もっとも抑制すべき道は何か。軍事対軍事の対立と、軍拡競争の悪循環であります。

この間、中国による力ずくで現状を変えていこうという覇権主義が、東シナ海、南シナ海などで、引き続きエスカ

レートしています。香港やウイグルなどでの深刻な人権侵害が重大な国際問題となっています。

これらに対して、バイデン米政権は、「自由で開かれたインド太平洋」の名で、中国に対して軍事同盟と軍事的対抗の全面的強化で対応しようとしています。菅政権は、米国のこの戦略に追随し、４月の日米共同声明では、日米同盟を「インド太平洋」の全域に拡大することを公然と誓約しました。

軍事対軍事の対立は、軍拡競争の悪循環を引き起こし、偶発的な衝突から紛争や戦争を引き起こしかねません。みなさん。こうした危険な道を、断固拒否しようではありませんか。（拍手）

もっとも推進すべき道――国際法という共通のルールにもとづく平和的共存

それでは、もっとも推進すべき道は何か。それは、どんな国であれ覇権主義は許さないという立場に立って、平和的手段による問題解決をはかることであります。国連憲章と国際法という共通のルール――一つのルールにもとづいて、平和的に共存していくことであります。そのために、米国に対しても、中国に対しても、覇権主義の行動に対しては、「国連憲章と国際法を順守せよ」と迫っていく冷静な外交努力をつくすことであります。

こうした推進すべき道を一貫して追求してきたのがＡＳＥＡＮ（東南アジア諸国連合）であります。ＡＳＥＡＮは、武力行使の放棄と紛争の平和的解決を義務づけた東南アジア友好協力条約（ＴＡＣ）を締結し、これを域外に広げる努力を続けてきました。その到達点が、２０１９年６月のＡＳＥＡＮ首脳会議で採択された、ＡＳＥＡＮインド太平洋構想です。この構想は、インド太平洋規模でのＴＡＣを締結し、この地域全体を、「対抗でなく対話と協力の地域」にしようという壮大な提唱であります。

この構想は、日本共産党が２０１４年に提唱した「北東アジア平和協力構想」――北東アジアにも、北東アジア版ＴＡＣを締結して、ＡＳＥＡＮのような平和の地域協力の枠組みをつくろうという構想にも重なり合うものとなっています。

先日、民青同盟が行った「学生オンラインゼミ」で、私がこの話をしたところ、「とてもいいことだが、本当に実現できるのですか」という質問が出されました。私は、「困難はありますが、十分に現実性があります」と答えました。

私たちが注目しているのは、すでに２０１１年11月に、インドネシアのバリで開催された東アジアサミットで「バリ原則」という政治宣言が調印されているということです。「バリ原則」には、武力行使の放棄、紛争の平和的解決など、ＴＡＣが掲げている諸原則がそっくり入っています。そして、東アジアサミットには、ＡＳＥＡＮ10カ国、日本、中国、韓国、米国、ロシア、インド、オーストラリア、ニュージーランドが参加し、「バリ原則」にはすべての国が賛成しています。ですから、この政治宣言を条約にすればよいのです。意思さえあれば実現は十分に可能ではないでしょうか。

中国に対してどう向き合うか――排他的でなく、包括的アプローチを

中国に対して国際社会がどう向き合うか。アメリカを中心に中国包囲の軍事的なブロックをつくっていこうという動きがありますが、その道に進めば、中国はいっそうの軍拡でこたえるでしょう。新しい「冷戦体制」がつくられ、一触即発の事態に陥りかねません。

そういう排他的なアプローチでなく、ASEANが現に実践しているように、中国も包み込む形で地域的な平和秩序をつくっていく包括的なアプローチが大切ではないでしょうか。

日本は、憲法9条を持つ国として、インド太平洋地域を、戦争の心配のない、平和な地域にするために、こうした外交的イニシアチブこそ発揮すべきではないでしょうか。私は、そのことをこの機会に強く訴えたいと思います。（拍手）

第四。選挙で示された国民多数の意思にもとづき、国民共同の力で社会変革を進める党

第四は、日本共産党が、社会発展のどんな段階でも、選挙で示された国民多数の意思にもとづき、国民の共同の力で社会変革を進める党であるということであります。

段階的発展、多数者革命、統一戦線――現在から未来にいたる一貫した立場

日本共産党が、今から60年前に、現綱領の基礎となる1961年の綱領を決定して以来、一貫して貫いてきた社会変革を進める基本姿勢は、次のようなもので

す。

——第一は、社会の段階的発展の立場です。人間の社会は、一段一段、階段を上がるように、その時々の直面するいろいろな課題を解決しながら、段階的に発展する。

日本社会についていえば、いま必要とされる変革は、社会主義革命ではなく、「財界中心」「アメリカ言いなり」という二つの政治の歪みを根本からただす民主主義革命です。これが私たちの綱領の大方針であります。

——第二は、多数者革命の立場です。すなわち社会発展の階段のどの一段も、主権者である国民が選挙で示した審判——選挙で示された国民多数の意思にもとづいて上がっていくということです。

——第三は、社会変革を進める力は、思想・信条の違いを超えて、直面する一致した課題を実現するための国民的な共同と団結——統一戦線であるということです。

段階的発展、多数者革命、統一戦線——この三つは一体のものです。そして現在から、民主主義革命、社会主義的変革、その先の未来にいたるまで、社会発展のあらゆる段階での、わが党の一貫した立場であります。

なお「革命」といっても恐ろしい話では決してありません。私たちは、世の中の仕組みを大本から変えるという意味で、この言葉を使っています。しかも、過去の世界史のさまざまな「革命」とは違って、選挙で多数を得て進めることを明確にしています。一部に「共産党は革命政党」だといって〝恐ろしい政党〟だと印象づけようとする攻撃がありますが、これはまったく成り立つものではありません。だいたい「革命」という言葉は、たとえば「産業革命」、「科学技術革命」というように普通に使われているではありませんか。

市民と野党の共闘の画期的意義——反共攻撃による分断を打ち破ろう

市民と野党の共闘——党の歴史のうえでもかつてない画期的なとりくみ

みなさん。私たちが、この6年間とりくんできた市民と野党の共闘は、私たちの綱領のうえでは、「さしあたって一致できる目標の範囲」での統一戦線、統一戦線の政府をめざすとりくみです。私は、強調したいのは、これが、これまでの党の歴史のうえでもかつてない、新しい特徴をもった画期的とりくみになっているということであります。

——第一に、すでに2016年、17年、19年、3回の国政選挙を、私たちは共闘でたたかい、重要な成果を積み重ねてきました。国政選挙での全国的規模の協力・連携は、わが党の歴史ではかつてやったことがない、史上初めての挑戦であります。これにいま私たちはとりくんでいるのです。

——第二に、野党が共同して新しい政権をつくるという課題が、現実に追求すべき課題となっています。わが党は、1961年に綱領をつくって以来、これまでも情勢の節々で、政局の前向きの打開のために暫定政権などの提唱を行い、それぞれが重要な意義を持ちましたが、どれも一過性の提起にとどまり、現実に追求すべき課題にまではなりませんでした。ところがいまでは、日本共産党を含む政権の是非が、現実の政治で問われる状況となっているではありませんか。これもまったく新しい特徴であります。

——第三に、1960年代から70年代の統一戦線は、国政レベルでも、地方レベルでも、革新勢力の統一戦線でした。これに対して、今日の市民と野党の共闘は、広大な保守の人々と、日本共産党を含む共闘として発展しています。その質という点でも、まったく新しい特徴をもっており、世界にも他に例がないユニークなものです。自民党政治が、もはやまともな「保守政治」とはいえない、反動と逆行を特徴とするものへと堕落するもとで、こうした広大な共闘が可能になっていることも新しい特徴であります。

こうして、この6年間のとりくみは、99年の党の歴史のうえでも、文字通り初めての歴史的挑戦となっています。私は、どんな困難があっても、それをのりこえて、市民と野党の共闘を成功させるために、知恵と力をつくす決意を表明するものであります。（拍手）

どんな場合でも平和的・合法的に社会変革を進める——日本共産党の確固たる立場

ここで訴えたいのは、市民と野党の共闘の発展のためには、共闘に分断を持ち込み、破壊しようとする逆流を許さないことが不可欠だということです。

共闘を分断・破壊するために、いま支配勢力が主要な手段としているのが、日本共産党に攻撃を集中することです。

この間、国会で、日本共産党に対して「暴力革命の党」といった攻撃が、執拗に繰り返されてきました。わが党はその都度反論してきましたが、昨年2月13日には、当時の安倍首相が、維新の会の議員の質問に答えて、衆院本会議の壇上から、「暴力革命の党」という悪罵《あくば》を投げつけました。その内容は、すでに反論ずみの反共デマを繰り返しただけのものでしたが、首相自身が答弁したことの重大性を考え、私は、同日の記者会見で、断固抗議し、反論をくわえました。

安倍前首相は、日本共産党がかつて「暴力主義的破壊活動を行った疑いがある」と答弁しました。しかしこれは事実にまったく反します。1950年代に、当時のソ連、中国による干渉によって党中央委員会が解体され、党が分裂した時期に、分裂した一方の側に誤った方針・行動がありましたが、これは党が統一を回復したさいに明確に批判され、きっぱりと否定された問題であります。日本共産党は、「暴力主義的破壊活動」の方針なるものを、党の正規の方針として持ったり、実行したりしたことは、ただの一度もありません。これは私たちが繰り返し明確にのべてきたことです。

さらに、安倍前首相は、「現在においても敵の出方論にたった暴力革命の方針に変更はない」と答弁しました。いったい私たちの綱領のどこを読んでいるのか。日本共産党は、社会変革の道すじにかかわって、過去の一時期に、「敵の出方」論という説明をしてきましたが、その内容は、①選挙で多数の支持を得て誕生した民主的政権に対して、反動勢力があれこれの不法な暴挙に出たさいには、国民とともに秩序維持のために必要な合法的措置をとる。②民主的政権ができる以前に反動勢力が民主主義を暴力的に破壊しようとした場合には、広範な国民世論を結集してこれを許さないというものです。それは、どんな場合でも、平和的・合法的に、社会変革の事業を進めるという日本共産党の一貫した立場を説明したものにほかなりません。これをもって「暴力革命」の「根拠」にするなどということは、まったく成り立つものではありません。

なお、「敵の出方」という表現だけをとらえて、日本共産党が、あたかも平和的方針と非平和的方針という二つの方針をもっていて、相手の出方によっては非平和的方針をとるかのような、ねじ曲げた悪宣伝に使われるということで、この表現は、２００４年の綱領改定後は使わないことにしています。

民主的政権を樹立する過程でも、樹立したのちも、一貫して平和的・合法的に社会変革を進めるというのが、日本共産党の確固たる立場であります。（拍手）

この議論はすでに、１９８９年2月、衆院予算委員会での不破哲三副議長（当時）と石山陽公安調査庁長官（同）との論戦で、政府側の言い分はことごとく崩壊し、すでに決着がついている問題です。そのさい、不破氏の質問に対して、石山長官は、公安調査庁発足以来36年間、わが党への不当な調査を続けながら、「破壊活動の証拠」なるものを何一つ見つけられなかったことを認めました。それから32年がたっています。合計68年にわたって不当な調査を公党に対して行いながら、「破壊活動の証拠」なるものを何一つ発見できなかったのです。ないものはどんなに調査しても出てくるはずがありません。政府側の言い分が、すでに完全に崩壊していることは、こうした歴史的事実によっても明らかではありませんか。（拍手）

この種の攻撃は、執拗に繰り返されますが、壊れたレコードのように破綻した議論をむしかえしているだけで新しい内容は一つもありません。それは、市民と野党の共闘の前進、日本共産党の躍進をいかに恐れているかを自ら告白するものではないでしょうか。そして、こんなデマ攻撃でしかわが党を攻撃することができないというのは、日本共産党の綱領路線がいかに道理に立ったものであるかを、自ら明らかにするものではないでしょうか。

安倍前首相の反共デマ答弁に対して、野党が結束して抗議したことは、たいへんに心強いことでした。みなさん。デマとフェイクで自分の気にいらない勢力を攻撃することは、民主主義社会で決して許してはならないものです。共闘分断をはかる卑劣なデマ攻撃を、市民と野党の結束した力で打ち破り、総選挙における共闘の勝利でこたえることを、心から訴えるものです。（拍手）

第五。資本主義をのりこえる未来社会をめざす党

第五は、日本共産党が、資本主義をのりこえる未来社会――社会主義・共産主義社会をめざす党だということであります。

米国の高校生から寄せられた社会主義と日本共産党への共感のメール

パンデミックのもとで、貧富の格差の空前の規模での拡大、地球的規模での環境破壊など、世界資本主義の矛盾がさまざまな形で噴き出し、資本主義というシステムをこのまま続けていいのかという問いが、人類に突き付けられています。

今日、紹介したいのは、米国の高校生から寄せられた社会主義と日本共産党に対する共感のメールであります。この高校生は、首都ワシントン近郊に住む高校3年生で、コロナ対策と東京五輪に関するリポート作成のため、7月12日、日本共産党の立場をメールで質問してきました。そこで簡単な回答と、党綱領、昨年の党創立記念講演を英文で送りました。そうしましたら長文の共感のメールが送られてきました。その一部を紹介したいと思います。

「社会主義は、少なくともここ米国では、若者の間でかなりの人気です。やがて私たちの世代が政治に参加するようになれば、米国は社会主義、そして潜在的には共産主義の思想や政策に対して、非常にオープンになると思います。近い将来、米国がより社会主義的な政策を実施できるようになることが私の願いです。

みなさんの党については、とても興味をそそられました。日本共産党はそれ自

体が先駆的であることがわかりました！多くの共産党が暴力や腐敗に悩まされてきた中で、日本共産党が平和を重視している点がとても印象的でした。また、毎回の選挙での得票数にも目を見張りました。みなさんの党は、民主主義システムの中で、最大かつ最強の共産党のひとつであり、これは大きな成果です。党の綱領を詳しく見てみると、もし私が日本国民であれば、必ずみなさんの党に投票すると思います」

そのうえで、昨年の記念講演についての詳細な感想がつづられており、ほとんどすべての点での共感が語られ、「このスピーチを読み日本共産党への理解がいっそう深まりました！」と結ばれていました。

私は、この間、学生や高校生のみなさんとオンラインなどで語り合う機会があり、日本でも若い世代のなかで社会主義と日本共産党への新しい関心や期待が広がっていることを強く実感してきましたが、太平洋を隔てて、米国の高校生からも、私たちの事業への熱い共感のメッセージが届いたことは、たいへんにうれしい出来事ではないでしょうか。（拍手）

『資本論』の革命的真髄と、日本共産党の歴史的役割 ——新版完結によせて

新版『資本論』の完結——100周年を迎えるにふさわしい記念碑的な仕事に

ここでうれしい報告があります。日本共産党中央委員会社会科学研究所が監修して刊行してきた新版『資本論』が、ちょうど2週間前、全12冊で完結しました。

この事業は、２００４年の第23回党大会での綱領全面改定を受け、２００５年から準備を始めたものでした。わが党は、未来社会論をふくむ党綱領路線の達成と、『資本論』の諸命題を研究し、「マルクスが到達した理論的立場をより鮮明にする」という立場で、この事業を進めてきました。この大事業の監修にあたった不破哲三社会科学研究所所長は、一昨年9月の新版『資本論』刊行記念講演のなかで、新版刊行の意義を次のようにのべています。

「今回、発刊する新版『資本論』は、エンゲルスが、資料も時間も十分にもたないなかでおこなった編集事業の労苦に思いを寄せ、その成果を全面的に生かしながら、『資本論』の執筆者であるマルクスの経済学的到達点をより正確に反映するものになったことを確信しています」

21世紀に、マルクスの理論的探究の歴史と到達点をふまえ、その主著『資本論』の新しい翻訳・編集をなしとげた政

党は、世界にもほかに例がありません。16年におよぶ大事業となりましたが、マルクス、エンゲルスの事業の継承者として、来年、党創立100周年を迎えるのにふさわしい記念碑的な仕事を成し遂げたと私は考えるものであります（拍手）。

この機会に、新版『資本論』を学び、広く普及するとりくみに挑戦することを、心から訴えるものです。

「肯定的理解」「必然的没落の理解」――資本主義の生成、発展、没落の法則を明らかに

みなさん。『資本論』の全体をつらぬく根本的立場は、資本主義社会が、永久に続くものではなく、人類の長い歴史のなかでみれば、〝一時的、経過的な社会〟であることを明らかにしたことにあります。そのことをマルクスは『資本論』第二版への「あと書き」で、次のように表現しています。

「この弁証法は、現存するものの肯定的理解のうちに、同時にまた、その否定、その必然的没落の理解を含み、どの生成した形態をも運動の流れのなかで、したがってまたその経過的な側面からとらえ、なにものによっても威圧されることなく、その本質上批判的であり革命的である」

ここで「現存するもの」といっているのは資本主義社会のことです。

ここでいう「肯定的理解」とは、資本主義が、人類の歴史のなかで、どのような役割を果たし、社会にどのような進歩をもたらしたのか、そのことを理解するということです。

「必然的没落の理解」とは、資本主義社会が、その発展のなかで、どのような矛盾や危機を生み、社会を変革する諸条件をどのようにしてつくりだし、どのような新しい社会に交代するのか、そのことを明らかにするということです。

こうして資本主義社会を、より高度な社会に交代する必然性をもった社会であること、すなわち、その生成、発展、没落の法則を明らかにしたこと、ここにこそ、『資本論』の根本的立場があり、その革命的真髄があります。

もう一点いえば、そのなかで、マルクスが究明していったことは、社会変革は自然には起こらない、社会変革の客観的条件とともに、主体的条件が成熟してはじめて現実のものになるということでした。労働者階級が、長時間労働をはじめとする過酷な搾取から自らの命と暮らしを守るたたかいによって「訓練」され、自分自身の「組織」をかちとり、体制そのものを変革するたたかいを発展させる、そうしてこそ資本主義体制をのりこえて、その先の社会――社会主義・共産主義に進む社会変革は現実のものとなるということでした。

そうした社会変革を進める主体的条件を発展させることにこそ、日本共産党の歴史的役割があります。

みなさん。党創立99周年という節目にあたって、そのことをお互いに胸に刻

み、先人たちの不屈の努力と探求に思いをはせ、未来を開く歴史的使命を果たそうではありませんか。（拍手）

「人間の自由」「人間の解放」——日本共産党という党名はこの理想と結びついている

みなさん。いま、パンデミックのもとで、世界でも日本でも、「資本主義の限界」ということが、さまざまな形で語られています。多くの人々が、資本主義というシステムをこのまま続けることへの疑問をもち、この社会に代わる新しい社会への模索を強めています。

人類の歴史は、資本主義という矛盾に満ち、苦しみに満ちた社会で終わりでしょうか。決してそうではありません。

人類は、この社会をのりこえて、さらに先の社会——社会主義・共産主義の社会に進む力をもっている。これが私たちの確信であります。

もちろん、それは、つぶれてしまった旧ソ連や、現在の中国のような、自由も人権も民主主義もない社会、他国への覇権をふるう体制ではありません。

資本主義のもとで、人民のたたかいによってかちとった、自由と民主主義の制度、生活と権利を守るルール、人間の豊かな個性など、価値ある成果を、すべて引き継ぎ、豊かに発展させ、花開かせる社会。

労働時間を抜本的に短くすることによって、すべての人間が自分の持っている能力を、自由に、全面的に発展させることのできる社会。

これが私たちのめざす社会主義・共産主義社会であります。

まずは、資本主義の枠内での民主的改革に力をつくしつつ、社会主義・共産主義に進んでこそ、「人間の自由」「人間の解放」が全面的に実現する。これが私たちの綱領が示している大展望であります。

そして、日本共産党という党名は、こうした私たちの理想と結びついたロマンあふれる名前であります。どうかこの党へのご支持を広げに広げていただきたい。そしてこの機会に、どうか日本共産党に入党していただきたい。そのことを、心から訴えるものです。（拍手）

新しい政治変革のうねりのなかで党創立100周年を迎えよう

来年、日本共産党は、創立100周年を迎えます。戦前、戦後を一つの名前で活動した政党は、日本では日本共産党だけであります。それは、わが党の99年の歴史が、幾多の困難に遭遇しながらも、国民の利益、平和と民主主義、独立と主権を擁護するという点で、大局において国民に恥じるところがない歴史であることの証しであります。

みなさん。パンデミックのもとで浮き彫りになった日本共産党ならではの真価を広く語り、目前の総選挙で勝利をかちとるために力をつくそうではありませんか（拍手）。日本共産党の躍進、市民と野党の共闘の勝利で、政権交代を実現し、新しい政権――野党連合政権をつくろうではありませんか。そして、新しい政治変革のうねりのなかで党創立100周年を迎えようではありませんか。（拍手）

以上をもって私の講演とさせていただきます。（拍手）

日本共産党創立99周年万歳。（拍手）

（「しんぶん赤旗」2021年8月6日付）

—ＭＥＭＯ—

—MEMO—